HOLL

NEDERLANDSE TEKST/TEXT IN ENGLISH/
DEUTSCHER TEXT/TEXTE FRANÇAIS

AND

TEKST	TANYA HINES
VORMGEVING	ADRIAN HODGKINS

ATRIUM

Verantwoording

Beeldresearch: B & U International Picture Service,
Amsterdam

Fotografie:
Wim Allirol, Heemstede: blz. 25, 55, 70, 94, 112-113,
116, 121
B & U Int. Picture Service, Amsterdam: blz. 1, 3-6, 13,
17, 20, 21, 22-23, 24, 31, 34-35, 36, 40, 43, 49, 52,
60-61, 65, 72, 92-93, 102, 118-119, 124-125, 128 en
achterzijde omslag
James Davis Worldwide Photographic Travel Library,
Londen: voorzijde omslag en blz. 15, 26, 27, 32, 33,
37, 42, 47, 50, 73, 85, 86, 117
Yvon Doorgeest, Groningen: blz. 103, 126-127
Emil de Haas, Haarlem: blz. 75, 100-101, 108, 109
Tanya Hines, Londen : blz. 51
Karel Hofland, Amsterdam: blz. 30, 104
Loek Polders, Amsterdam: blz. 29, 38, 46, 64, 68, 71,
80, 81, 87, 88, 89, 91, 96-97, 110-111, 115, 120,
122, 123
Herman Scholten, Huizen: blz. 16, 39, 41, 44, 45, 48,
53, 57, 58, 59, 63, 66, 77, 78-79, 99, 105, 106-107
Jeanette Tas, Hilversum : blz. 18-19, 56, 62, 67, 69,
76, 82-83, 95
Stichting Toerisme Den Haag: blz. 73
VVV Maastricht: blz. 90

Vormgeving: Adrian Hodgkins
Tekst: Tanya Hines, e.a.
Vertalingen: J. Honders, H.E. Jansen, H.W. Markus,
M. Sportouch
Zetwerk en montage: M & P Tekst bv, Weert
Printed in Hong Kong

Uitgegeven door Atrium te Alphen aan den Rijn, in
opdracht van ICOB cv te Alphen aan den Rijn.

ISBN 90 6113 433 1
NUGI 672   CIP

Inleiding

Wie aan Nederland denkt, denkt al snel aan windmolens, klompen en tulpen. Zeker, elk jaar weer trekken de bollenvelden ten zuiden van Haarlem, met hun kleurige lenteweelde van miljoenen bloemen in de onwaarschijnlijkste kleuren, talloze bezoekers uit binnen- en buitenland. Maar het land biedt veel meer. Het is bijvoorbeeld een land van water, met de Noordzee, de Waddenzee, het IJsselmeer, de uitgestrekte Friese meren, de brede rivieren in het Utrechtse en in Gelderland, en de ontelbare vaarten, sloten en kanalen die de uitgestrekte weilanden en akkers van water voorzien of het overtollige water afvoeren.

Wij Nederlanders vormen een serieus volk. We moeten wel. Meer dan een kwart van ons land is op de zee veroverd en dus moeten we constant op ons hoede zijn dat ze dit niet terugneemt. Inmiddels beschermen de Deltawerken Zeeland en de Randstad afdoende tegen de Noordzee en door verhoging van de dijken hebben we ook in het westen en noorden weinig meer te vrezen.

Een uitstekende manier om Nederland te verkennen is per rijwiel en we bezitten er met zijn allen dan ook zo'n elf miljoen – bijna elke inwoner boven de kleuterleeftijd heeft zijn eigen fiets. Fietspaden zijn er overal en jong en oud leggen elk jaar in de stad, op het platteland en in de natuur heel wat kilometers op de pedalen af.

Molens staan er in ons hele land: waterradmolens in de streken met stromend water, maar vooral veel windmolens in de open gebieden. Eens werden ze gebruikt voor het uitslaan van het overtollige water uit de polders, het malen van het graan, het zagen van boomstammen, het persen van olie en mosterd of het maken van papier. Soms voeren ze nog steeds hun oorspronkelijke taak uit, maar meestal zijn ze nog slechts een toeristische attractie – als opvallend silhouet in het landschap en dikwijls ingericht als museum of restaurant.

Ons kleine land is toch nog verdeeld in twaalf provincies, die alle sterk variëren in historische achtergrond, traditie, levensstijl, sfeer en attracties. Van de kosmopolitische hoofdstad Amsterdam, bruisend van activiteit, tot de rust van het golvende Limburgse landschap, en van de imposante Zeeuwse Deltawerken tot de steeds veranderende duinen van Texel, is Nederland kleurrijk, hartverwarmend en een en al activiteit.

Introduction

There is some truth in the stereotyped image of Holland. It is a country of windmills, tulips and clogs – but much more as well. Water is everywhere; in the massive lakes to the north of the country, in the Rhine, Lek and Vecht rivers, flowing through Utrecht and in the countless canals, dykes and waterways which drain the endless stretches of flat, green fields.

Whether at home, work or travelling, the Dutch take life seriously. They have to. Over a quarter of their country has been captured from the sea and so they have to be on constant standby to prevent it being reclaimed. The North Sea is a constant peril, and schemes such as the ambitious Delta Project are continually underway to hold it back. As well as being a land of water, Holland is a country of flowers, and every year the bulb fields south of Haarlem transform the flat polders into a kaleidoscope of blooms of all colours and varieties.

The best way to explore the countryside is by bike and the Dutch own eleven million bicycles – almost one for each inhabitant. Wherever you go in Holland, you won't be far from a cycle track and young and old alike take the two wheels, in city and country, in all weathers.

Throughout the country, there are numerous windmills. Traditionally used as pumps to drain excess water from the fields into the sea, many now serve as popular tourist attractions, either in their original settings or in outdoor museums.

Holland is divided into twelve provinces, which all vary widely in historical background, tradition, lifestyle, atmosphere and attractions. From the cosmopolitan city of Amsterdam, with its exhilarating vivacity, to the rolling prettiness of Limburg, from the stark Delta Works of Zeeland, to the sand dunes of Texel, the country is colourful, refreshing and extremely vibrant.

Einleitung

Es ist etwas Wahres an dem stereotypen Bild Hollands. Es ist ein Land der Windmühlen, der Tulpen und der Holzschuhe – aber es gibt noch viel mehr. Wasser ist überall; in den grossen Seen im Norden des Landes, im Rhein, im Lek und in der Vechte, die durch Utrecht fliesst, aber auch in den zahllosen Kanälen, Gräben und Wasserläufen, die die endlosen Flächen ebener, grüner Felder entwässern.

Der Holländer nimmt das Leben ernst, ganz gleich ob er zu Hause, an der Arbeit oder auf Reisen ist. Er muss es sogar ernst nehmen, denn über ein Viertel seines Landes wurde dem Meer abgerungen. Daher muss er dauernd auf der Hut sein, um zu verhindern, dass das Meer dieses Land zurückerobert. Die Nordsee ist eine ständige Gefahr. Es werden immer wieder Pläne gemacht, wie z.B. das ehrgeizige Delta-Projekt, um diese Gefahr abzuwenden. Holland ist aber nicht nur ein Wasserland, sondern auch ein Land der Blumen. Jedes Jahr verwandeln sich die flachen Polder südlich Haarlems durch die Blumenzwiebelfelder in ein Kaleidoskop von Blumen in allen Farben und Varietäten.

Am besten erkundet man das Land auf dem Fahrrad. Die Holländer besitzen elf Millionen Fahrräder – fast eines pro Kopf der Bevölkerung. Wohin Sie auch immer in Holland gehen, ein Radweg wird nie weit entfernt sein. Durch jedermann, ob Jung oder Alt, wird das Fahrrad in der Stadt und auf dem Lande bei jedem Wetter benutzt.

Im ganzen Lande gibt es zahlreiche Windmühlen. Wurden sie in früheren Zeiten als Pumpen verwendet, um das überschüssige Wasser aus den Feldern in das Meer zu pumpen, so sind heutzutage viele dieser Mühlen eine populäre Attraktion für Touristen, entweder in ihrem ursprünglichen Zustand oder in Freiluftmuseen.

Die Niederlande sind in zwölf Provinzen verteilt, deren geschichtlicher Hintergrund, Tradition, Lebensstil, Atmosphäre und Attraktionen sehr verschieden sind. Von der Weltstadt Amsterdam, mit ihrer heiteren Lebhaftigkeit bis zu dem brausenden Liebreiz Limburgs, von den imposanten Delta-Werken in Seeland bis zu den Sanddünen auf Texel, ist das Land farbenfreudig, erfrischend und lebensprühend.

Introduction

L'image stéréotypée de la Hollande, n'est pas tout à fait fausse. C'est un pays de moulins à vent, de tulipes et de sabots – mais il y a plus encore. Il y a de l'eau partout, dans les lacs étendus au nord du pays, dans les fleuves du Rhin, du Leck et du Vecht, traversant la province d'Utrecht, mais aussi dans les innombrables canaux, digues et voies navigables, qui draînent les champs verts et plats.

Qu'ils soient chez eux, au travail ou en voyage, les Néerlandais prennent la vie au sérieux. Et ils ont raison, puisqu'un quart du pays a été gagné sur la mer. Alors ils doivent veiller à ce que la mer ne regagne pas ces terres.

La Mer du Nord constitue un danger permanent. Des projets comme l'ambitieux Plan Delta sont développés pour prévenir des inondations désastreuses. La Hollande est donc un pays d'eau mais également un pays de fleurs. Chaque année, les champs de bulbes en fleurs au sud de Haarlem transforment les polders plats en un kaléidoscope de fleurs de toutes couleurs et variations.

La meilleure manière d'explorer le pays est à bicyclette et les Hollandais n'en possèdent pas moins d'onze millions – presque une par habitant. Partout en Hollande, vous trouverez des pistes cyclables. D'ailleurs, les jeunes comme les vieux prennent les deux-roues, qu'ils habitent la ville ou la campagne, qu'il faisse beau ou qu'il pleuve.

On trouve partout dans le pays un grand nombre de moulins à vent. Traditionnellement ces moulins étaient utilisés pour le drainage des champs, à présent ils servent d'attraction touristique, les uns dans leur environnement habituel, les autres dans des musées.

Les Pays Bas sont divisés en douze provinces, chacune a son histoire, ses traditions, sa façon de vivre, son ambiance et ses curiosités. Que l'on soit à Amsterdam, ville cosmopolite, ou au Limbourg célèbre pour sa bonhomie, en Zélande ou sur les dunes de sable de Texel, le pays est partout éclatant, réconfortant et extrêmement énergique.

13 De boven de weilanden oprijzende molens van Kinderdijk vormen de trots van de Alblasserwaard.
13 The windmills of Kinderdijk rising out of the fields, make an impressive sight.
13 Die Windmühlen am Kinderdijk, die aus Feldern aufsteigen, bieten einen imponierenden Anblick.
13 Les moulins à vent de Kinderdijk se dressant au milieu des champs, une vue impressionnante.

Noord-Holland

De naam van de provincie Noord-Holland is eigenlijk misleidend – ze ligt, overigens net als Zuid-Holland, immers in het westen. Hollands is het hier echter zeker, met de uitgestrekte droogmakerijen met weilanden, akkers en bollenvelden, de talloze poldermolens, -sloten en -vaarten, en de propere dorpen met soms nog fraaie, groen-met-witte, houten huisjes.

De historie is in Noord-Holland nog overal zichtbaar en de voormalige Zuiderzeestadjes worden in het seizoen door bussen vol toeristen vanuit Amsterdam bezocht. Vooral Marken en Volendam zijn wegens de nog altijd te bewonderen klederdracht zeer in trek.

De Westfriese stadjes Hoorn en Enkhuizen, in de Gouden Eeuw rijke zeehavens, koesteren in hun centra prachtige 17e-eeuwse koopmanshuizen, luisterrijke raadhuizen, pakhuizen en nog altijd bewoonde hofjes.

Indrukwekkend is de 32 km lange Afsluitdijk, die de Zuiderzee tot IJsselmeer maakte. Circa 6 km ten oosten van Den Oever kan men het monument bewonderen waar in 1932 het laatste stroomgat werd gedicht.

In het toeristenseizoen brengt de boot uit Den Helder enkele malen per dag massa's vakantiegangers en dagjesmensen naar het Noordhollandse eiland Texel. 'Het groene eiland' heeft ze veel te bieden, van de oude dorpjes, de uitgestrekte stranden en de duingebieden, tot natuurreservaten als de intact gehouden duindoorbraak de Slufter.

North Holland

North Holland is not in the northern part of the country at all, but one of two provinces to the west – the other being South Holland. It is a pretty region and typically Dutch, with wooden windmills, tiled rooftops, and green fields traversed by dead-straight dykes.

History is very much alive in North Holland, and the old fishing villages which border the IJsselmeer now attract busloads of day-trippers from Amsterdam. They come to admire the many locals wearing traditional dress; lace-winged caps for women and baggy trousers for men.

Further north, Hoorn and Enkhuizen, bustling seaports in the seventeenth century, now offer secluded canals and almshouses. The massive nineteen-mile-long Afsluitdijk (enclosing dyke) joins North Holland with the shores of Friesland.

Texel is known to the Dutch as 'Holland in miniature', and every year boatloads of tourists cross the sea from Den Helder to explore this alluring island. From the wild, unbroken dunes of De Slufter to the dense green woodlands and heavily dyked fields, Texel retains its charm, while carrying on in its continual fight to reclaim land from the sea.

Nordholland

Nordholland liegt ganz und gar nicht im Norden der Niederlande, sondern ist eine der beiden westlichen Provinzen – die andere heisst Südholland. Est ist eine liebreizende und typisch holländische Region, mit ihren hölzernen Windmühlen, Ziegeldächern und grünen Feldern, die von schnurgeraden Wasserläufen durchzogen werden.

Nordholland ist sich seiner Vergangenheit voll bewusst und die alten Fischerdörfer am IJsselmeer sind jetzt eine Attraktion für Ausflügler, die in vollen Bussen aus Amsterdam anreisen. Sie kommen um die Einheimischen in ihren traditionellen Trachten zu bewundern; Frauen tragen schöne Bänder, aber daneben auch Ärmelflügel und die Männer bauschige Hosen.

Hoorn und Enkhuizen, etwas nördlicher, die im siebzehnten Jahrhundert geschäftige Hafenstädte waren, haben heutzutage nur abgelegene Kanäle und Altersheime anzubieten. Der eindruckvolle, 32 km lange Abschlussdeich verbindet Nordholland mit der friesischen Küste.

Texel wird unter Niederländern als 'Klein-Holland' bezeichnet, und jedes Jahr überqueren Tausende von Touristen die Meerenge von Den Helder aus auf Fährschiffen, um diese bezaubernde Insel zu erkunden. Texel bleibt immer charmant, von den ununterbrochenen Dünen von 'De Slufter' aus, bis zu den dichten, grünen Waldungen und den mit vielen Wassergräben durchzogenen Feldern, und selbst in ihrem unaufhörlichen Kampf, dem Meer Land abzugewinnen.

Hollande du Nord

La Hollande du Nord ne se situe pas du tout au nord du pays, mais c'est l'une des deux provinces à l'ouest – l'autre étant la Hollande du Sud. C'est une belle région typiquement hollandaise. On y trouve des moulins à vent en bois, des toits couverts de tuiles et des champs verts, traversés par des digues droites.

L'histoire continue à vivre en Hollande du Nord. Les anciens villages de pêcheurs aux bords du Lac de l'IJssel sont à présent une curiosité pour les touristes venant d'Amsterdam. Les touristes viennent spécialement pour voir les costumes traditionnels; une coiffe pour les femmes et des pantalons bouffants pour les hommes.

Plus au nord se trouvent les villes de Hoorn et d'Enkhuizen, des ports de mer affairés pendant le dix-septième siècle. Maintenant on y trouve des canaux et des maisons de retraite.

L'Afsluitdijk d'une longueur de 32 km constitue une voie de communication entre la Hollande du Nord et le littoral de la Frise.

L'île de Texel est considérée par les néerlandais une miniature comme de leur pays. Chaque année l'île est envahie par des touristes, qui viennent par bac depuis le port de Den Helder, et qui cherchent à mieux connaître cette île fascinante. Depuis les dunes ininterrompues de 'De Slufter' jusqu'aux champs verts entourés de digues, l'île de Texel garde son charme, quoique la lutte contre les eaux afin de gagner de la terre sur la mer, ne cesse pas un seul instant.

15 Molens en houten huisjes aan de pittoreske Zaanse Schans bij Zaandijk.
15 Attractive Zaanse Schans windmills and wooden houses.
15 Reizvolle Windmühlen und Holzhäuser, die sog. Zaanse Schans.
15 Zaanse Schans: ses moulins à vent et ses maisons en bois.

16 De rijkversierde gevel van het Westfries Museum – schitterende herinnering aan de tijd dat Hoorn een belangrijke Hollandse zeehaven was.
16 The ornate facade of the Westfries Museum is a beautiful reminder of the days when Hoorn was a major Dutch seaport.
16 Die reich verzierte Fassade des Westfriesischen Museums ist eine wunderschöne Erinnerung an die Zeit, da Hoorn ein wichtiger niederländischer Seehafen war.
16 La façade du Musée de la Frise-Occidentale (Westfries Museum) nous rappelle que la ville de Hoorn était un port de mer important.

17 In het waterrijke Noord-Holland zijn lieflijke taferelen als deze bepaald geen zeldzaamheid.
17 In the watery province of North Holland, lovely scenes like this are by no means rare.
17 Wiese mit Kuh und Schwänen in Nordholland.
17 Scène bucolique fréquente en Hollande Septentrionale.

18-19 Het Buitenmuseum in Enkhuizen herbergt een keur van historische huizen, boerderijen en werkplaatsen uit steden en dorpen rond de voormalige Zuiderzee.
18-19 These historic buildings and quiet canals in the Zuiderzee Museum at Enkhuizen preserve a traditional way of life.
18-19 Dieses historische Gebäude und die stillen Kanäle in dem Zuiderzee-Museum in Enkhuizen gewähren Einblick in die traditionelle Lebensweise.
18-19 Le musée de plein air (Buitenmuseum) à Enkhuizen reconstitue la vie quotidienne dans les villes et villages du Zuiderzee.

20 De intense kleurenpracht van de bloeiende tulpenvelden laat altijd een grote indruk achter.
20 The intense and splendid colours of the flowering tulip fields always make a big impression.
20 Die kräftige Farbenpracht der blühenden Tulpenfelder hinterlässt immer einen grossen Eindruck.
20 Cette intense richesse de couleurs des champs de tulipes en fleurs laisse toujours une impression profonde.

21 Spel van zee en zand aan de kust van Texel, het grootste Waddeneiland.
21 The interplay of the sea and the sand on the coast of Texel, the largest island in the Waddenzee.
21 Ein Spiel von Meer und Sand an der Küste Texels, der grössten Watteninsel.
21 Jeu de la mer et du sable sur la côte de Texel, la plus grande des îles de l'archipel frison.

The inscription on the statue reads:

OPGEDRAGEN AAN ONZE JEUGD ALS
EEN HULDEBLIJK AAN DE KNAAP DIE HET
SYMBOOL WERD VAN DE EEUWIGDURENDE
STRIJD VAN NEDERLAND TEGEN HET WATER

DEDICATED TO OUR YOUTH, TO HONOR THE
BOY WHO SYMBOLIZES THE PERPETUAL
STRUGGLE OF HOLLAND AGAINST THE WATER

22-23 De 32 km lange Afsluitdijk vormt een prachtig staaltje Nederlands vakmanschap op het gebied van de waterbouwkunde.
22-23 The 19-mile-long Afsluitdijk is a masterpiece of modern engineering and links North Holland with Friesland.
22-23 Der 32 km lange Abschlussdeich ist ein Meisterwerk moderner Technik. Er verbindet Nordholland und Friesland miteinander.
22-23 L'Afsluitdijk d'une longueur totale de 32 km est un chef-d'œuvre de génie civil et constitue une voie de communication entre la Hollande du Nord et la Frise.

24 Een kleurrijk uitgedoste vrouwelijke fanfare paradeert over het vroegere visserseiland Marken.
24 These gaily coloured costumes are typically Dutch. Here, a band of locals parade in Marken.
24 Diese fröhlichen, bunten Trachten sind typisch holländisch. Hier marschiert ein lokales Musikkorps in Marken vorbei.
24 Ces costumes aux couleurs gaies sont typiquement Hollandais. Ici on voit la fanfare locale de Marken.

25 Het monument van Hans Brinker in Spaarndam houdt de illusie van de toeristen levend over zijn redding van Holland door zijn vinger in een gat in de dijk te stoppen.
25 The statue of Hans Brinker in Spaarndam. According to legend, he saved Holland from a flooding disaster, by stopping a hole in the dyke with his finger.
25 Das Standbild von Hans Brinker in Spaarndam. Einer Legende zufolge steckte er einen Finger in ein Loch im Deich und rettete die Niederlande auf diese Weise vor einer Überschwemmungskatastrophe.
25 La statue de Hans Brinker à Spaarndam. La légende veut qu'il ait préservé la Hollande d'une inondation désastreuse en mettant son doigt dans la brèche afin d'empêcher l'eau de passer à travers la digue.

26 Het traditionele wegen van kaas op de
vrijdagse kaasmarkt in Alkmaar.
26 Traditional weighing of cheese at the
Alkmaar Cheese Market.
26 Auf dem Käsemarkt in Alkmaar wird
Käse auf die traditionelle Weise gewogen.
26 Pesage traditionnel du fromage au
marché de fromage à Alkmaar.

27 Dit laat-gotische koopmanshuis met trapgevel herbergt het Edams Museum.
27 This distinctive step-gabled building, in the heart of Edam, now houses a fascinating museum.
27 Dieses charakteristische Gebäude mit stufenförmiger Fassade steht im Herzen Edams. Zur Zeit beherbergt es ein faszinierendes Museum.
27 Ce bâtiment avec sa façade en pignon au centre d'Edam, abrite à présent un musée fascinant.

Amsterdam

Het historisch centrum van Amsterdam wordt van oudsher omsloten door vier grachtengordels, overkluisd door meer dan duizend bruggen. De meest ontspannen wijze om de stad te verkennen is per rondvaartboot. Vanaf het water heeft men het fraaiste gezicht op de klok-, hals-, trap- en tuitgevels, de fraaie vensters en luiken, de pakhuizen en de nauwe steegjes.

Het natuurlijk middelpunt van de stad is de Dam, met zijn Nationaal Monument, het Koninklijk Paleis en de Nieuwe Kerk. De nabijgelegen Oude kerk grenst aan de 'rosse buurt', waar de dames van plezier in hun roodverlichte etalages tonen dat de gemakkelijke sfeer waarom Amsterdam befaamd – of berucht – is, nog sterk leeft.

Wie Amsterdam aandoet, moet ten minste één van haar vele internationaal vermaarde museums – zoals het Rijksmuseum, het Van Gogh Museum, het Stedelijk Museum of het Rembrandthuis – bezoeken. Gezellig trefpunt van zowel Amsterdammers als toeristen is het Leidseplein met zijn terrasjes en talloze lichtreklames.

Amsterdam is een wereldstad, maar bovenal een stad waar mensen wonen: op straat heerst altijd een gezellige drukte, elke buurt heeft zijn markten, men ontmoet elkaar in de bruine cafés en de kooplieden van de drijvende markt bij de Munt doen goede zaken met hun in ons land zo geliefde planten en bloemen.

Amsterdam

The beautiful city of Amsterdam has always been dominated by water and four canals ring its historic centre, crossed by over 1000 bridges. The most relaxing way to explore the city is by boat – only then can you appreciate the rich jumble of bell gables, neck gables, hoisting beams, windows and doors, adorning even the most unsophisticated of buildings.

The natural hub of the city is Dam Square, with its imposing Royal Palace and New Church. Its nearby rival, the Old Church straddles the edge of the Red Light District where ladies of the night sit behind dimly lit windows, showing that the easy-going atmosphere, for which Amsterdam is famous – or infamous – is very much alive.

Visiting at least one of the city's many exciting museums is essential; the Rijksmuseum houses Rembrandt's famous *Night Watch* and the Van Gogh Museum is of international renown. Leidseplein provides a contrast to all this culture; it is a popular rendez-vous for Amsterdammers and tourists alike, who converge there to soak in the relaxed atmosphere and look at the impromptu light displays.

Amsterdam is very much a residential city and a major pull has to be its people and their homes; windows crowded with pot plants, groups of friends in the brown bars, quietly sipping their beers or genevers, and the resilient stallholders of the floating market, selling the one thing the Dutch love the most – flowers.

Amsterdam

In der eindrucksvollen Stadt Amsterdam hat das Wasser schon immer eine überherrschende Rolle gespielt und ihr historisches Zentrum ist von vier Kanälen umringt, die von mehr als 1000 Brücken überspannt werden. Am bequemsten lässt sich die Stadt per Boot erkunden, denn nur dann wird man das reiche Durcheinander von Glockengiebelhäusern, Halsgiebelhäusern, Hebebalken, Fenstern und Türen, die sogar die einfachsten Gebäude schmücken, zu würdigen verstehen lernen.

Den natürlichen Mittelpunkt der Stadt bildet der Dam, ein weiter Platz mit dem Königlichen Palast und der Neuen Kirche. Ihr nächstliegender Gegenpol, die Alte Kirche, breitet sich an der Ecke des Bordellviertels aus, wo die Prostituierten hinter abgeblendeten Fenstern sitzen. Das zeigt, dass die leichtlebige Atmosphäre, für die Amsterdam berühmt, wenn nicht sogar berüchtigt ist, ihre Wirkung noch nicht verloren hat.

Man sollte unbedingt mindestens eines der vielen aufregenden Museen der Stadt besuchen. In dem Reichsmuseum hängt Rembrandts berühmtes Gemälde, die 'Nachtwache', und auch das Van Gogh-Museum hat internationalen Ruf. Der Leidseplein kontrastiert mit aller dieser Kultur; es ist gleichermassen ein Treffpunkt für Amsterdamer und Touristen, die sich dort zusammenfinden, um die entspannte Atmosphäre in sich aufzusaugen und die improvisierten Leuchtreklamen zu beobachten.

Amsterdam ist sehr deutlich eine Hauptstadt, deren Bevölkerung und Gebäude eine grosse Anziehungskraft ausüben. Man sieht Fensterbretter, die mit Topfpflanzen überladen sind; Gruppen von Freunden in den 'Braunen Cafés', die schweigsam an ihrem Bier oder Branntwein nippen und den schwimmenden Markt, dessen überall auftauchende Kaufleute eine Ware verkaufen, die der Holländer am meisten liebt, nämlich Blumen.

Amsterdam

Le centre historique d'Amsterdam a toujours été entouré de quatre canaux que franchissent plus de mille ponts. La manière la plus décontractée pour explorer la ville est de prendre un bateau, alors vous pourrez apprécier les différentes façades aux pignons en 'cloche' ou en 'cou', les poutres à palans, les pierres de façade, embellissant même les bâtiments les plus ordinaires.

Sur la Place Dam centre naturel de la ville, s'élèvent le palais royal et la Nouvelle Eglise. La rivale de celle-ci, la vieille église est construite au coin du quartier rouge, où les femmes publiques s'exposent derrière des fenêtres. Ceci, entre autre, montre que la ville n'a encore rien perdu de sa réputation.

On se doir au moins de visiter un des magnifiques musées d'Amsterdam; le Rijksmuseum expose le célèbre tableau de Rembrandt, la Ronde de Nuit. Le Musée Van Gogh a une réputation internationale. Le Leidseplein est en contraste criant avec toutes ces expressions de culture; c'est un lieu de rendez-vous pour les Amstellodamiens et pour les touristes, qui y convergent dans le but de savourer l'ambiance décontractée et de contempler les affiches lumineuses.

Amsterdam est une ville cosmopolite qui attire un grand nombre d'habitants. Beaucoup de plantes vertes aux fenêtres, on se réunit entre amis dans les cafés bruns où l'on savoure sa bière ou sa genièvre et on achète des fleurs au marché aux fleurs à côté de la place de la Monnaie.

29 Amsterdam op haar mooist – de
Magere Brug, gevangen in een krans van
goudkleurige lichtjes.
29 Amsterdam at its most beautiful – the
Magere Brug, framed in a halo of golden
lights.
29 Amsterdam, so schön wie noch nie. Die
Magere Brücke, eingerahmt in einen
Lichthof aus goldenen Lampen.
29 Amsterdam dans ce qu'elle a de plus
beau – le pont Magere Brug, entouré d'un
halo de lumières dorées.

30 Amsterdam telt meer dan duizend
bruggen. Deze ligt op de plaats waar
Keizersgracht en Reguliersgracht elkaar
ontmoeten.
30 Amsterdam has over 1000 bridges. This
is the one at the junction of Keizersgracht
and Reguliersgracht.
30 Amsterdam hat mehr als 1000 Brücken.
Diese Brücke verbindet die Keizersgracht
mit der Reguliersgracht.
30 Amsterdam compte plus de 1000 ponts
situé. Celui-ci est le pont situé à la
bifurcation du Keizersgracht et du
Reguliersgracht.

31 De spiegeling van grachtenhuizen in het water zorgt voor een bijna surrealistische beeltenis.
31 Distorted reflections in the water lend an almost surreal quality to these canalside houses.
31 Das verzerrte Spiegelbild dieser Grachtenhäuser im Wasser, lässt eine fast surreale Szenerie entstehen.
31 Les reflets déformés de ces maisons dans l'eau donnent une impression presque surréaliste.

32 Deze sierlijke huizen aan de
Prinsengracht zijn kort geleden weer in
hun oude glorie hersteld.
32 These elegant homes which border de
Prinsengracht, have been recently
restored to their former glory.
32 Diese eleganten Herrenhäuser an der
Prinsengracht sind erst kürzlich in ihrer
früheren Pracht wiederhergestellt worden.
32 Ces belles maisons en bordure du
Prinsengracht ont été récemment
restaurées.

33 Een karakteristieke Amsterdamse
klokgevel.
33 A typical gabled house in Amsterdam.
33 Ein charakteristisches Giebelhaus in
Amsterdam.
33 Pignon en forme de cloche à
Amsterdam.

34-35 's Winters bieden de Amsterdamse grachten door het samenspel van sneeuw en licht een bijna sprookjesachtige aanblik.
34-35 The interplay of snow and light gives a magical, almost fairy-tale quality, to this view.
34-35 Das Wechselspiel von Schnee und Licht bietet einen magischen, beinahe märchenhaften Anblick.
34-35 L'effet combiné de la neige et de la lumière donne quelque chose de presque féerique à cette vue.

36 De Amsterdamse grachten bieden ook mogelijkheden tot vervoer en vermaak.
36 The canals of Amsterdam are also used for transportation and entertainment.
36 Die Amsterdamer Grachten bieten auch Raum für Verkehr und Vergnügen.
36 Les canaux d'Amsterdam sont utiles au transport aussi bien qu'agréables.

37 Een historisch grachtepakhuis is op vernuftige wijze tot comfortabele woonruimte verbouwd.
37 This canalside warehouse has been ingeniously converted into new homes.
37 Dieses Lagerhaus am Kanal ist mit grosser Phantasie und Einfallsreichtum in neue Wohnungen umgewandelt worden.
37 On a transformé de façon ingénieuse cet entrepôt en de confortables appartements.

38 De meest aangrijpende trekpleister in Amsterdam voor toeristen is het aan de Prinsengracht 263 gelegen Anne Frank Huis.
38 The most moving tourist attraction in Amsterdam is the Anne Frank House at Prinsengracht 263.
38 Die ergreifendste, touristische Attraktion in Amsterdam ist das Anne-Frank-Haus an der Prinsengracht 263.
38 La Maison Anne Frank à Amsterdam constitue l'attraction touristique la plus émouvante.

39 De voorgevel van Het Rembrandthuis, nu museum, waar Nederlands grootste schilder enkele jaren heeft gewoond.
39 The facade of Rembrandt's house where the artist lived for several years.
39 Die Fassade des sog. Rembrandt-Hauses, das der Maler verschiedene Jahre bewohnte.
39 La façade de la maison Rembrandt où le célèbre peintre a habité pendant plusieurs années.

40 Het Amsterdams Historisch Museum bezit een fraaie collectie 17de-eeuwse Hollandse schilderkunst.
40 The fine tradition of seventeenth century Dutch painting can be seen in the Amsterdam Historical Museum.
40 Die vornehme Tradition holländischer Malerei im siebzehnten Jahrhundert kann in dem Amsterdamsche Historische Museum bewundert werden.
40 Le musée Historique d'Amsterdam possède une belle collection de peintures du six-septième siècle.

41 Het Begijnhof vormt een groene oase
van rust in het hartje van de Amsterdamse
binnenstad.
41 The Begijnhof – a peaceful green
oasis, in the heart of town.
41 Der stimmungsvolle Begijnhof – eine
friedliche, grüne Oase im Herzen der
Stadt.
41 Le Béguinage (Begijnhof) – une oasis
de paix et de verdure, au centre de la ville.

42 Een Amsterdamse tram passeert de
Nieuwe Kerk, waarin veel tentoonstellingen
worden georganiseerd.
42 One of the city's many yellow and grey
trams passes in front of the New Church.
42 Eine der vielen gelben und grauen
Strassenbahnen der Stadt fährt an der
Neuen Kirche vorbei.
42 L'un des nombreux trams jaunes et gris
passant devant l'Eglise Nouvelle.

43 De met de keizerskroon getooide toren
van de Westerkerk rijst hoog boven de
nauwe straatjes van de Jordaan uit.
43 The beautiful tower of the West Church
soars above the narrow streets of the
Jordaan.
43 Der wunderschöne Turm der
Westerkerk überragt die engen Strassen
des Jordaan-Viertels.
43 La tour du Westerkerk d'une beauté
exceptionnelle s'élève au dessus des rues
étroites du quartier Jordaan.

44 Het wereldberoemde Rijksmuseum
bezit de grootste collectie schilderijen van
Nederlandse meesters uit de Gouden
Eeuw.
44 The world famous Rijksmuseum has
the largest collection of paintings by Dutch
masters of the Golden Age.
44 Das weltberühmte Rijksmuseum
beherbergt die grösste gemäldesammlung
niederländischer Meister aus der Zeit des
Goldenen Jahrhunderts.
44 Le Musée National, mondialement
célèbre, possède la plus grande
collection de tableaux de maîtres
néerlandais de l'Âge d'Or.

45 De statige voorgevel van het Koninklijk
Paleis aan de Dam.
45 The Royal Palace fronts directly onto
Dam Square – a stately building in the
heart of the city.
45 Der Königliche Palast, ein imposantes
Gebäude im Herzen der Stadt, liegt
unmittelbar am Damplatz.
45 La façade du Palais Royal, donne
directement sur la Place Dam, un bâtiment
imposant au cœur de la ville.

46 Het Leidseplein biedt volop
gelegenheid om even uit te rusten van de
hectische drukte in de Amsterdamse
winkelstraten.
46 Leidseplein in the centre of Amsterdam
offers a relaxed and friendly environment
to wile away the day.
46 Der Leidseplein, im Zentrum
Amsterdams, ist eine gemütliche und
freundliche Umgebung, um sich die Zeit zu
vertreiben.
46 Le Leidseplein en plein centre
d'Amsterdam offre détente et amusement
à la fin d'une journée de travail.

47 Koninginnedag is een feest dat de
Amsterdammers op straat vieren, waarbij
iedereen het zijne of het hare bijdraagt aan
de uitbundige feestvreugde.
47 On Queen's Day holiday groups of
exuberant Amsterdammers crowd the
streets with gaily painted faces.
47 Am 'Koninginnedag', dem Geburtstag
der heutigen Prinzessin und früheren
Königin Juliana, beleben die Strassen sich
mit feiernden, ausgelassenen
Amsterdamern, deren Gesichter häufig in
lustigen Farben geschminkt sind.
47 L'anniversaire de la Reine est le jour où
des groupes d'Amstellodamiens, les
visages peints, peuplent les rues.

48 De roemruchte Amsterdamse 'rosse
buurt' bij nacht.
48 Amsterdam's notorious Red Light
District, in the small hours.
48 Amsterdams berüchtigtes
Prostituiertenviertel am frühen Morgen.
48 Le fameux Quartier Rouge
d'Amsterdam la nuit.

49 Amsterdam telt enkele poffertjeskramen, waar men zich de rijkelijk van suiker en roomboter voorziene lekkernij goed laat smaken.
49 This Poffertjes cafe is a familiar sight in Amsterdam. The small round pancakes are freshly made and served with mounds of butter and sugar.
49 Dieses Poffertjes-Café ist ein altgewohnter Anblick in Amsterdam. Die kleinen, runden Eierkuchen werden frisch gebacken unt mit viel Butter und Puderzucker serviert.
49 Un des nombreux cafés où l'on sert des poffertjes, petites crêpes rondes recouvertes de beurre fondant et de sucre glace.

50 In de bruine cafés proeft men de gezellige sfeer, die zo karakteristiek is voor de ouderwetse Amsterdamse etablissementen.
50 The brown bars are perhaps the best places to experience the intimate 'gezellig' atmosphere, so loved by the Dutch.
50 Die sog. 'Braunen Cafés' sind vielleicht der beste Ort, um die intime, gemütliche Sphäre zu erleben, die bei den Holländern so beliebt ist.
50 Les cafés bruns sont peut-être les endroits les plus appropriés pour goûter à l'atmosphère intime et chaleureuse, si appréciée des néerlandais.

51 Het alternatieve Amsterdamse leven speelt zich tegenwoordig vooral in de Jordaan af en openbaart zich in de fel beschilderde cafés en winkels in de smalle straatjes.
51 The alternative side to Amsterdam life can be seen in the Jordaan, where brightly painted cafes and shops line the narrow streets.
51 Die alternative Seite des Lebens in Amsterdam zeigt sich im Jordaan, wo grell bemalte Cafés und Läden die engen Gassen säumen.
51 Le côté de vie alternatif du Jordaan. Ici les façades aux couleurs vives des cafés et des boutiques se côtoient dans les ruelles étroites.

52 De kleurige drijvende bloemenmarkt aan het Singel.
52 The colourful blooms of the floating flower market on the Singel.
52 Die farbenfreudigen Blumen des schwimmenden Blumenmarkts auf dem Singel.
52 Le pittoresque marché aux fleurs flottant sur le Singel.

53 Twee meisjes vormen ongewild het middelpunt van een vredig grachttafereeltje.
53 Two girls unconsciously form the focal point of a peaceful scene by the canal.
53 Zwei Mädchen bilden den unbewussten Mittelpunkt eines friedlichen Grachtenbildes.
53 Scène paisible: deux fillettes devant les canaux.

Zuid-Holland en Utrecht

Met zowel Rotterdam als Den Haag binnen haar grenzen is Zuid-Holland de dichtstbevolkte provincie en haar steden vormen het leeuwedeel van de Randstad. Wereldvermaard zijn de bollenvelden in het noordwesten, die vanaf half april met hun schitterend getinte tulpen, hyacinten en narcissen een bontgekleurde lappendeken over het vlakke landschap uitspreiden.

De steden zijn al even bekend: van het koortsachtig bedrijvige Rotterdam – de grootste zeehaven ter wereld – tot de verfijnde rust van 's-Gravenhage, de residentie van de koningin en zetel van de regering. Verder van de kust kopen de toeristen gretig het beroemde Delfts blauw in het schilderachtige Delft, wordt er kaas gegeten in Gouda en fotografeert men de 18 molens van Kinderdijk in de Alblasserwaard.

Utrecht, in het hart van Nederland, is onze kleinste provincie. Het is vooral bekend om de historische stadjes, kastelen en buitenplaatsen, en om de prachtige natuur. In de 17de eeuw hadden de rijke Amsterdamse kooplieden er hun zomerverblijven langs de Vecht. De gelijknamige hoofdstad is vanouds economisch en politiek van nationaal belang. Tegenwoordig komen het oude en het moderne naast elkaar voor en zijn de kelders van de 'werven' langs de Oude Gracht veranderd in knusse cafés en restaurants, die deze universiteitsstad internationale allure geven.

South Holland and Utrecht

With both Amsterdam and The Hague within its confines, South Holland is the most densely populated province in the country and its towns and cities form the lion's share of the conurbation known as the Randstad. The bulb fields in this province are world-famous; every year, from mid-April onwards, the check pattern of brilliantly coloured tulips, hyacinths and daffodils stretches far into the distance.

The cities are equally renowned; from the hectic atmosphere of crazy commercial Rotterdam, which has the largest port in the world, to the refined tranquillity of The Hague, residence of the queen and the seat of government in Holland. Inland, the picturesque town of Delft draws tourists anxious to buy the distinctive blue-and-white china; Gouda is famous for its cheese; and in Kinderdijk, in the south, nineteen windmills dominate the skyline.

Utrecht is the smallest province in Holland and sits in the very centre of the country. It is particularly known for its historic towns and castles and beautiful countryside. In the seventeenth century it was a popular retreat for Amsterdam merchants who built imposing mansions by the side of River Vecht. The provincial capital is Utrecht, historically an important economic and political mainstay of the country. Nowadays, the old and the new exist alongside each other and waterside cellars which border the Oude Gracht have been ingeniously converted into unusual cafes and restaurants, lending an international feel in this otherwise most Dutch of cities.

Südholland und Utrecht

Südholland ist, mit Rotterdam und Den Haag innerhalb seiner Grenzen, die am dichtesten bevölkerte Provinz des Landes, und ihre Gross- und Kleinstädte haben den Löwenanteil an der Bevölkerungsdichtheit, die als 'Randstad' bezeichnet wird. Die Blumenzwiebelfelder in dieser Provinz sind weltberühmt; jedes Jahr, ab Mitte April, erstreckt sich ein buntes Muster vielfarbiger, leuchtender Tulpen, Hyazinthen und gelber Narzissen bis in die weite Ferne.

Die Städte sind genauso berühmt; von der hektischen Atmosphäre des energisch, handeltreibenden Rotterdams, mit dem grössten Hafen der Welt, bis zu der kultivierten Stille Den Haags, der Königlichen Residenz und Sitz der niederländischen Regierung. Die malerische Provinzstadt Delft, im Innern der Provinz, wirkt anziehend auf Touristen, die die charakteristischen blauweissen Delfter Fayencen kaufen wollen. Gouda ist für seinen Käse berühmt und in Kinderdijk, im Süden der Provinz, wird der Horizont von 19 Windmühlen beherrscht.

Utrecht ist die kleinste Provinz der Niederlande und liegt im Mittelpunkt des Landes. Sie ist insbesondere für ihre historischen Städte, Schlösser und ihre wunderschöne Landschaft bekannt. Im siebzehnten Jahrhundert war diese Gegend ein allgemein beliebter Zufluchtsort für die Kaufleute aus Amsterdam, die am Ufer der Vechte imposante Herrenhäuser bauten. Die Hauptstadt der Provinz ist Utrecht. Sie ist in historischer Hinsicht die wichtigste wirtschaftliche und politische Stütze des Landes. Heutzutage existieren die alte und die neue Stadt nebeneinander. Keller an der Wasserkante, die an die 'Oude Gracht' grenzen, sind mit grosser Geschicklichkeit in ungewöhnliche Cafés und Restaurants umgebaut worden, was dieser ansonsten holländischsten der holländischen Städte ein internationales Ansehen verleiht.

La Hollande du Sud et Utrecht

Avec ces deux villes, Rotterdam et La Haye, à l'intérieur de ses limites, la Hollande du Sud est la province la plus peuplée du pays et fait partie de ce qu'on appelle la Randstad. Les champs de bulbes en fleurs dans cette province ont une réputation mondiale; chaque année, à partir de mi-avril, les champs sont en fleurs. On y trouve entre autres des tulipes, des crocus, des hyacinthes et des jonquilles à perte de vue.

Ses villes sont aussi connues; de Rotterdam, le plus grand port de mer du monde, jusqu'à la où se trouvent La Haye, la résidence de la Reine et le siège du Gouvernement des Pays Bas. Plus à l'intérieur de la province, la ville pittoresque de Delft, envahie par des touristes désirant acheter les célèbres faiences de Delft bleues et blanches; la ville de Gouda est célèbre pour son fromage; et à Kinderdijk, au sud, on trouve dix-neuf moulins à vent qui dominent l'horizon.

Utrecht est la province la moins étendue de la Hollande et se trouve au centre du pays. Cette province est connue en particulier pour ses villes et châteaux historiques et pour sa belle campagne. Au dix-septième siècle, la province servait de retraite pour les commerçants Amstellodamiens, qui y firent construire de grandes villas sur les rives du fleuve Vecht. La capitale provinciale est Utrecht, historiquement une ville d'importance économique et politique. De nos jours, l'ancien et le nouveau se trouvent fraternellement côte à côte, et les caves aux bords de l'Oude Gracht ont été converties de façon ingénieuse en cafés et en restaurants, donnant ainsi à cette ville universitaire une allure internationale.

55 De historische Domtoren verheft zich hoog boven de straten en cafés van de universiteitsstad Utrecht.
55 The historic Dom Tower soars above the streets and cafes of Utrecht.
55 Der historische Domturm überragt die Strassen und Cafés Utrechts.
55 La tour historique du Dom s'élevant au-dessus des rues et cafés d'Utrecht.

56 Het stadhuis van Gouda heeft opvallende rood-met-witte luiken voor de vensters aan de zijgevels.
56 The side of the Town Hall in Gouda is bedecked with distinctive shutters.
56 Die Seitenfront des Rathauses in Gouda ist mit charakteristischen rotweissen Fensterläden geschmückt.
56 Le côté latéral de l'hôtel de ville de Gouda est orné de contrevents caractéristiques.

57 het Goudse stadhuis werd tussen 1448 en 1459 opgetrokken en is daarmee in oorsprong het oudste gotische raadhuis van ons land.
57 The Gothic Town Hall in Gouda is one of the oldest in the country, dating from 1450.
57 Das gothische Rathaus in Gouda ist eines der Ältesten dieses Landes. Es datiert aus 1450.
57 L'hôtel de ville de Gouda au style gothique est l'un des plus anciens du pays et date de 1450.

58 De voormalige kloosterkerk in Leiden is al sinds 1581 in gebruik als hoofdgebouw der universiteit.
58 The former abbey church in Leiden has been used as the main university building since 1581.
58 Die ehemalige Klosterkirche in Leiden dient schon seit 1581 als Hauptgebäude der Universität.
58 L'ancienne église du cloître à Leyde est depuis 1581 le bâtiment principal de l'université.

59 De stadstimmerwerf van Leiden. Achter deze fraaie trapgevel uit 1612 bevond zich de woning van de stadstimmerman.
59 The carpenter's yard in Leiden. This splendid stepped gable, dating from 1612, belonged to the house of the city carpenter.
59 Der Bauhof der Stadt Leiden. Hinter diesem schönen Treppengiebel aus dem Jahre 1612 befand sich die Wohnung des Stadtzimmermeisters.
59 Le chantier municipal de charpentier à Leyde. Derrière ce magnifique pignon à redans de 1612, la maison du charpentier municipal.

60-61 Een eenzame schaatser glijdt over de eindeloze ijsvlakte.
60-61 A lone skater tests the vast expanse of ice.
60-61 Ein einsamer Schlittschuhläufer prüft die weite Eisfläche.
60-61 Un patineur teste la glace.

62 De Lijnbaan, het nieuwe hart van het in de Tweede Wereldoorlog zwaar gehavende Rotterdam, met op de achtergrond het gespaard gebleven stadhuis.
62 The Lijnbaan. The new heart of Rotterdam, which suffered great damage in the Second World War. In the background we see the Town Hall, which was spared.
62 Die Einkaufsstrasse Lijnbaan, das neue Herz der im Zweiten Weltkrieg schwer getroffenen Stadt Rotterdam. Im Hintergrund das bewahrt gebliebene Rathaus.
62 Le Lijnbaan, nouveau coeur de port de Rotterdam, rasé par les bombardements pendant la Deuxième Guerre Mondiale. Au fond, la Mairie a été préservée.

63 Aan de haven van Dordrecht staat de Grote Kerk met de opmerkelijke, nimmer voltooide toren.
63 The Grote Kerk with its remarkable tower which was never completed, stands on the harbour in Dordrecht.
63 Am Dordrechter Hafen erhebt sich die Grote Kerk mit dem bemerkenswerten, nie fertiggestellten Turm.
63 La Grande Église, sur le port de Dordrecht, avec sa tour surprenante restée inachevée.

64 Een van de Utrechtse kastelen die de
fantasie prikkelen is het Kasteel Duurstede
bij Wijk bij Duurstede.
64 One of the many fairy-tale castles in
Utrecht. This one is situated at Wijk bij
Duurstede.
64 Eines der vielen märchenhaften
Schlösser in der Provinz Utrecht. Schloss
Duurstede steht in Wijk bij Duurstede.
64 L'un des châteaux féeriques à Utrecht.
Celui-ci est situé à Wijk bij Duurstede.

65 Vrouwen in traditioneel Spakenburgs
kostuum; in deze oude vissersplaats houdt
men de klederdracht en de zondagsrust
nog in ere.
65 Ladies in traditional Spakenburg
costume. The starched shoulder-piece is
unique.
65 Einheimische Frauen in der
traditionellen Tracht Spakenburgs. Das
gestärkte Schulterstück ist eine Seltenheit.
65 Femmes habillées en costumes
traditionnels de Spakenburg.

*66 Het Vredespaleis, dat uit 1913 dateert
en waarin o.a. het Internationaal
Gerechtshof zetelt, schonk Den Haag
internationale bekendheid.*
*66 The Peace Palace in The Hague – a
powerful tribute to the futility of war.*
*66 Der Friedenspalast in Den Haag – ein
mächtiger Tribut an die Sinnlosigkeit des
Krieges.*
*66 Le Palais de la Paix à La Haye – un
tribut puissant à la futilité de guerre.*

67 Het Mauritshuis is vermaard om zijn
interessante collectie oude meesters.
67 The Mauritshuis is known for its
fascinating collection of beautiful
paintings.
67 Das Mauritshuis ist wegen seiner
faszinierenden Sammlung prachtvoller
Gemälde berühmt.
67 Le Mauritshuis est connu pour sa
collection de tableaux fameux.

68 Het Paleis Noordeinde, het ambtsverblijf van de koningin, is een van de koninklijke paleizen in Den Haag die nog steeds een representatieve functie bezitten.
68 The Paleis Noordeinde, where the queen has offices, is one of several royal buildings in The Hague.
68 Der Königliche Palast an der Noordeinde, in dem die Königin ihre Arbeitsräume hat, ist eines vom mehreren königlichen Gebäuden in Den Haag.
68 Le Palais Noordeinde, où la Reine a ses bureaux, est l'un des bâtiments royaux à La Haye.

69 Het indrukwekkende Haagse Binnenhof dateert uit de middeleeuwen en biedt onderdak aan de beide Kamers van de Staten-Generaal.
69 The impressive Binnenhof in The Hague, dates from medieval times and now houses the country's two-chamber parliament.
69 Der eindrucksvolle Binnenhof in Den Haag datiert aus dem Mittelalter. Heutzutage ist hier der Amtssitz der beiden Kammern des niederländischen Parlaments.
69 L'imposant Binnenhof à La Haye date du Moyen Age. A présent ces bâtiments hébergent le Parlement, composé de deux chambres.

70 Op mooie lentedagen heerst er een
verfijnde, ontspannen sfeer op het
lommerrijke en enigszins deftige Lange
Voorhout in Den Haag.
70 The leafy Lange Voorhout, one of The
Hague's more distinguished avenues, has
a relaxed atmosphere on this fine spring
day.
70 Das liebliche Lange Voorhout, eine der
vornehmen Avenuen Den Haags, atmet an
diesem klaren Frühlingstag eine
zwanglose Atmosphäre aus.
70 Le Lange Voorhout, l'une des plus
belles avenues de La Haye, respire une
atmosphère de détente en cette belle
journée du printemps.

71 Het fraaie Haags Gemeentemuseum is
vooral bekend vanwege zijn grote
Mondriaancollectie.
71 The splendid Gemeentemuseum in The
Hague is particularly famous for its large
collection of works by Mondriaan.
71 Das schöne Haager
Gemeentemuseum verdankt seinen Ruf
vor allem der grossen Mondriaan-
Sammlung.
71 Le magnifique Musée Municipal de La
Haye est surtout célèbre pour sa grande
collection de Mondriaan.

72 In de Haagse Passage kan men sjiek
(en droog!) winkelen.
72 The Passage – a distinctive shopping
arcade in The Hague.
72 Die Passage – eine vornehme
Ladenstrasse in Den Haag.
72 Le Passage – un centre commercial
couvert à La Haye.

73 Het Kurhaus domineert aan de
Noordzeekust van Scheveningen.
Nederlands grootste badplaats is feitelijk
een stadswijk van Den Haag.
73 The Kurhaus dominates the North Sea
coast of Scheveningen. The largest
seaside resort in the Netherlands is
actually a suburb of The Hague.
73 Das Kurhaus dominiert die
Nordseeküste Scheveningens. Der
grösste Badeort der Niederlande ist
eigentlich einer der Haager Stadtteile.
73 L'Ancien Établissement Thermal – le
Kurhaus – domine la plage de la mer du
Nord, à Schéveningue. La plus grande
station balnéaire des Pays-Bas est en fait
un faubourg de La Haye.

74 Delfts blauwe tegels en aardewerk zijn
over de gehele wereld beroemd.
74 The world-famous blue-and-white china
from Delft.
74 Die weltberühmten blauweissen Delfter
Kacheln.
74 Les faiences de Delft en bleu et blanc
ont une réputation mondiale.

75 De opmerkelijk dicht aan het water
gelegen Oude Kerk van Delft.
75 The Oude Kerk in Delft lies remarkably
close to the water.
75 Die fast im Wasser stehende Oude
Kerk in Delft.
75 La Vieille Église de Delft, construite
étonnamment près de l'eau.

76 Aan de toren van de Nieuwe Kerk in Delft is duidelijk te zien dat hij uit verschillende perioden stamt.
76 The tower of the Nieuwe Kerk in Delft clearly shows that it dates from different periods.
76 Am Turm der Nieuwe Kerk in Delft lässt sich unschwer erkennen, dass er aus verschiedenen Epochen stammt.
76 On voit clairement que la tour de la Nouvelle Église de Delft provient de diverses périodes.

77 Delfshaven vormt een van de weinige historische gedeelten van Rotterdam die de bombardementen gedurende de Tweede Wereldoorlog hebben overleefd.
77 Delfshaven – a historic quarter in the midst of commercial Rotterdam.
77 Delfshaven – ein historisches Viertel im Handelszentrum Rotterdams.
77 Delfshaven – un quartier historique qui a survécu aux bonbardements de Rotterdam pendant la seconde guerre mondiale.

78-79 De moderne architectuur krijgt in
Rotterdam volop de ruimte – de
Paalwoningen in het kort geleden
gereedgekomen gebied rond station
Blaak.
78-79 Modern architecture at its most
adventurous – the Cubes in the recently
developed Blaak area of Rotterdam.
78-79 Kühne, moderne Architektur –
Kubusbau in dem vor kurzem
neuentwickelten Wohngebiet an der Blaak
in Rotterdam.
78-79 Exemple d'architecture moderne:
des maisons cubiques construites
récemment dans le quartier Blaak à
Rotterdam.

80 De torenhoge schoorstenen en
olie-opslagtanks van Pernis, een
belangrijk onderdeel van de Rotterdamse
wereldhaven.
80 The towering chimneys and oil storage
tanks of Pernis, an important part of the
world port of Rotterdam
80 Die himmelhohen Schornsteine und
Ölbehälter in Pernis, ein vitaler Bestandteil
des Rotterdamer Welthafens.
80 Les cheminées hautes comme des
tours et les réservoirs de pétrole de
Pernis, éléments importants du port
international de Rotterdam.

81 De bedrijvige Rotterdamse haven is de grootste ter wereld.
81 Rotterdam's thriving, chaotic port is the biggest in the world.
81 Rotterdams blühender, chaotischer Hafen ist der grösste Hafen der Welt.
81 Le port prospère de Rotterdam est le plus grand port mondial.

82-83 De nieuwe skyline van de zich in hoog tempo ontwikkelende havenstad Rotterdam.
82-83 The new skyline of the rapidly developing port of Rotterdam.
82-83 Die neue Skyline des rasch wachsenden Hafens Rotterdam.
82-83 Le nouveau décor du port de Rotterdam, dont le développement est toujours en essor.

Het Zuiden

Zeeland, Noord-Brabant en Limburg grenzen alledrie aan onze zuiderbuur België. Wie Zeeland zegt, zegt Deltawerken, aanschouwelijk gemaakt in de Delta-expo op het voormalige werkeiland Neeltje Jans in de Oosterschelde. Verder is het voor de toerist een provincie van fraaie dorpen en stadjes, standvermaak en watersport.

Het vlakke land aan de noordkant van Noord-Brabant gaat zuidwaarts geleidelijk over in een golvend landschap met beken, rivieren, heidevelden en bossen, met verstrooide boerderijen met rieten daken. De historische stad 's-Hertogenbosch is vermaard om de schitterende gotische architectuur van de St. Janskathedraal en Breda wordt gedomineerd door de indrukwekkende toren van de Grote Kerk.

Limburg is misschien wel de provincie die het meeste afwijkt van de rest van Nederland, en dat geldt dan vooral voor het zuidelijke deel, dat ingeklemd ligt tussen België en Duitsland. Hier vindt men een echt heuvellandschap met kabbelende beekjes, droogdalen, hellingbossen en een bijzondere planten- en dierenwereld. Ook de dorpen, met vakwerkhuizen, kapelletjes en soms een bron, doen 'buitenlands' aan. In de provinciehoofdstad Maastricht, met zijn oude omwalling, waant men zich op het Vrijthof op zomerse dagen door de internationale sfeer haast in Parijs.

The South

Bordering Belgium are the three southern provinces of Holland – Zeeland, North Brabant and Limburg. Zeeland (sea land) consists of three fingers of land which largely lie below sea level. Its claim to fame is the Delta Works; a massive system of dykes and dams, built to prevent the disastrous flooding of 1953 from recurring.

South of Utrecht and into North Brabant, the flat landscape gradually concedes to slightly rolling countryside with streams, heathland and woods dotted with thatched farmhouses. The historic city of Den Bosch is renowned for the fine Gothic architecture of St Janskathedraal and the beautiful tower of Grote Kerk (Great Church) dominates Breda.

Sandwiched between Belgium and Germany is Limburg, Holland's southernmost province. It is quite unlike the rest of the country. The flat fields and windmills here give way to Holland's first and only real hills and the rippling streams, forest paths and wooded inclines feel more like England, than Holland. The ancient walled city of Maastricht lies at the food of the province and of the country. Its fringes meet the Belgium border and Germany is only a short distance away, which possibly explains the city's marvellous international atmosphere.

Der Süden

Angrenzend an Belgien liegen die drei südlichen niederländischen Provinzen: Seeland, Nordbrabant und Limburg. Seeland (das Land am Meer) besteht aus drei Landzungen, die grösstenteils unter dem Meeresspiegel liegen. Ihren Ruhm hat Seeland den Delta-Werken zu verdanken. Dabei handelt es sich um ein massives System von Deichen und Dämmen, die dazu errichtet wurden, das Land vor einer verhängnisvollen Überschwemmungskatastrophe, wie im Jahre 1953, zu schützen.

Südlich von Utrecht und bis in Nordbrabant hinein, geht die ebene Landschaft nach und nach in eine leicht hügelige Gegend mit Flüssen, Heideland und Wäldern über, die strohbedeckten Landhäusern übersät ist. Die historische Stadt 's-Hertogenbosch (kurz Den Bosch genannt) ist für die feine gothische Architektur ihrer Kathedrale (St. Janskerk) berühmt. Der schöne Turm der Grote Kerk dominiert Breda.

Eingepfercht zwischen Belgien und der Bundesrepublik Deutschland liegt Limburg, die südlichste der niederländischen Provinzen. Sie ist ganz anders als das übrige Land. Die flachen Felder und Windmühlen machen hier Platz für Hollands erste und einzige Hügel und die dahinplätschernden Bäche, die Waldwege und bewaldeten Abhänge erinnern eher an England als an Holland. Die uralte, ummauerte Stadt Maastricht liegt am Fusse der Provinz und des Landes. Ihre Randbezirke grenzen an Belgien und auch die Bundesrepublik Deutschland ist nicht weit entfernt, woraus sich vielleicht die erstaunliche internationale Ausstrahlung dieser Stadt erklären lässt.

Le Sud

Les trois provinces au sud des Pays Bas sont limitrophes de la Belgique – la Zélande, le Brabant et le Limbourg. La Zélande (mer terre) est constituée de trois bras, s'étendant largement en dessous du niveau de la mer. Sa fierté est le plan Delta; une vaste construction de digues et d'écluses, construits pour empêcher des inondations catastrophiques comme celle de 1953.

Au sud d'Utrecht et dans la province du Brabant-Septentrional, le paysage plat change petit à petit. On trouve des collines, des cours d'eau, des terres de bruyères, des forêts, et parfois des fermes. La ville historique qu'est Bois-le-Duc est célèbre pour sa Cathédrale St. Jean au style gothique et la tour de la Grande Eglise (Grote kerk) domine la ville de Breda.

Entre la Belgique et l'Allemagne se trouve le Limbourg, la province la plus au sud des Pays Bas. Cette province est très différente du reste du pays. Les champs plats et les moulins à vent font place à de véritables collines, des rivières, et des sentiers; on se croirait plutôt en Angleterre qu'aux Pays Bas. L'ancienne ville entourée de murailles de Maëstricht se trouve dans la zone frontalière. Les quartiers extra-muros touchent la frontière et l'Allemagne n'est pas loin non plus, ce qui explique peut-être l'ambiance internationale qui régne dans cette ville.

85 De toren van de Grote Kerk beheerst de omringende straten in Breda.
85 The tower of the Grote Kerk in Breda, dominates the surrounding streets.
85 Der Turm der Grote Kerk in Breda dominiert die angrenzenden Strassen.
85 La tour du Grote Kerk à Breda domine les rues environnantes.

86 De St.-Janskathedraal in 's-Hertogenbosch is vermaard om zijn magnifieke gotische architectuur en rijk aan talloze luchtige details.
86 St Janskathedraal in Den Bosch is famous for its exhilarating Gothic architecture.
86 Die Kathedrale in 's-Hertogenbosch, die St. Janskerk, ist wegen ihrer heiteren gothischen Architektur berühmt.
86 La Cathédrale St. Jean à Bois-le-Duc est célèbre à cause de son architecture gothique exubérante.

87 Altijd drukke cafés omzomen het van bomen voorziene Vrijthof in de oude ommuurde provinciehoofdstad Maastricht.
87 Bustling cafes border the tree-lined Vrijthof in the ancient walled city of Maastricht.
87 Geschäftige Cafés begrenzen den Lindenbestandenen Vrijthof in der mit alten Mauern umgebenen Stadt Maastricht.
87 Des cafés animés sur la Place d'Armes dans l' ancienne ville de Maëstricht, entourée de murailles.

88-89 Een karakteristieke aanblik in het
rivierengebied van Nederland – de rivieren
zijn buiten hun oevers getreden en zetten
de uiterwaarden blank.
88-89 A typical view of Dutch river areas –
the rivers have overflowed their banks,
flooding the land on either side.
88-89 Ein charakteristischer Anblick im
Stromgebiet der Niederlande – das
Hochwasser füllt die
Überschwemmungsräume der Flüsse.
88-89 Image caractéristique dans les
zones de rivières aux Pays-Bas – les
rivières sont sorties de leur lits et inondent
les laisses.

90 Het doolhof van gangen in de
mergelgroeven ten zuiden van Maastricht
trekt toeristen uit de gehele wereld aan.
90 The labyrinth of marl caves, south of
Maastricht, draws tourists from all over the
world.
90 Das Labyrinth der Mergelgruben,
südlich von Maastricht, wird von Touristen
aus der ganzen Welt besucht.
90 Le labyrinthe des marnières au sud de
Maëstricht attire beaucoup de touristes.

91 Aan landelijke taferelen als dit groepje vakwerkhuizen met vee op de voorgrond is Limburg bijzonder rijk.
91 A typical scene in peaceful, rural Limburg, Holland's southern-most province.
91 Eine typische Szene aus dem friedlichen, ländlichen Limburg, der südlichsten Provinz der Niederlande.
91 Une vue paisible prise dans la province rurale du Limbourg, la province la plus au sud des Pays-Bas.

92-93 De Deltawerken in Zeeland getuigen op indrukwekkende wijze van de voortdurende strijd die Nederland met de zee moet leveren.
92-93 The Delta Works in Zeeland are an impressive tribute to Holland's continual fight against the sea.
92-93 Die Delta-Werke in Seeland sind ein eindrucksvoller Tribut an den ständigen Kampf der Niederlande gegen das Meer.
92-93 Le Plan Delta constitue une contribution impressionnante à la lutte continue contre les eaux.

94 De langste brug van Europa: de 5 km lange Zeelandbrug over de Oosterschelde.
94 The longest bridge in Europe: the Zeelandbrug over the East Scheldt is 5 km long.
94 Die längste Brücke Europas: die 5 km lange Zeelandbrug über die Oosterschelde.
94 Le pont le plus long d'Europe: ce pont de Zélande de 5 km enjambe l'Escaut Oriental.

95 Aan dit vredige beeld van Veere is niet
te zien dat de stad ooit een van de drukste
zeehavens van de Republiek der Zeven
Verenigde Nederlanden was.
95 This peaceful scene of Veere conceals
the fact that the town was once one of the
busiest seaports in Holland.
95 Diese friedliche Szene aus Veere lässt
vergessen, dass das Städtchen einst einer
der ansehnlichsten Handelshäfen in den
Niederlanden war.
95 Cette vue de Veere, une petite ville
paisible dissimule que la ville, dans le
temps, était l'un des ports de mer les plus
affairés de la Hollande.

96-97 De Zeeuwse eilanden zijn vermaard
om de prachtige fietstochten die men er
over de dikwijls door geboomte
omzoomde paden en dijkweggetjes kan
maken.
96-97 A Dutchman cycles through the
graceful, tree-lined avenues of Zeeland.
96-97 Ein Holländer radelt durch die
schnurgeraden, mit Bäumen umsäumten
Landwegen Seelands.
96-97 Un hollandais à bicyclette dans les
allées boisées de Zélande.

Gelderland en Overijssel

Gelderland en Overijssel vormen, samen met Utrecht, het groene hart van Nederland. Menigeen brengt in deze streken, met hun uitgestrekte bossen, zandverstuivingen en heidevelden, het weekend of zelfs zijn gehele vakantie door.

Het westen van Overrijsel wordt gekenmerkt door plassen en moerassen – het lieflijke Giethoorn wordt niet voor niets 'het Venetië van het noorden' genoemd. De soms fraai beschilderde punters worden niet alleen voor toeristische rondvaarten gebruikt, maar menige boer heeft zo'n rank scheepje nodig om zijn land te bereiken. In het oosten treft men een licht golvend landschap aan met kleine bospercelen. Typische textielsteden als Almelo en Enschede zijn erin geslaagd andere industrieën aan te trekken toen de produktie van textiel door de voordeliger werkende Aziatische landen werd overgenomen.

De belangrijkste trekpleister van Gelderland, het uitgestrekte Nationale Park De Hoge Veluwe met meer dan 5000 hectare cultuurbossen, stuifzand, heide en woeste grond, kan het beste per fiets worden verkend. Het Rijksmuseum Kröller-Müller, in het centrum van het park, bevat schitterende schilderijen van Van Gogh en heeft in de omringende tuin een permanente expositie van interessant beeldhouwwerk. De provinciehoofdstad Arnhem ligt ten zuiden van De Hoge Veluwe. Hier vindt men het magnifieke Nederlands Openluchtmuseum, met rond de tachtig authentieke boerderijen, molens en oudhollandse huizen. Meer naar het oosten ligt de sterk agrarische Achterhoek en in het zuidwesten de Betuwe met zijn ontelbare boomgaarden, die erom vragen in het voorjaar te worden bezocht, in de bloeitijd van de fruitbomen.

Gelderland and Overijssel

Gelderland, together with Overijssel and Utrecht makes up the green heart of the country. Held in high esteem by the Dutch, the two provinces are known for their striking diversity; the flat polders of the IJsselmeer (formerly the Zuiderzee) reluctantly concede to the trees which form the boundary of the Hoge Veluwe National Park, north of Arnhem.

The west of Overijssel is characterized by abundant waterways and canals – the lovely village of Giethoorn is known as the 'Venice of the North' because locals and sightseers alike travel around in brightly painted boats. Eastern Overijssel has a gently undulating landscape with pockets of shady woods. This is an important manufacturing area of the country with traditional textile towns, such as Almelo and Enschede.

The main pull of Gelderland is its massive Hoge Veluwe National Park, where the twenty-two square miles of forest and heathland is best explored by bike. The Kröller-Müller Museum, in the centre of the park, exhibits many outstanding Van Gogh paintings and amusing outdoor sculptures. South of the forest is Arnhem, the capital of Gelderland. Here, the massive Netherlands Open Air Museum successfully re-creates the atmosphere of yesteryear with around eighty traditional buildings. To the east lies peaceful, rural Achterhoek, and to the south-west the fruitgrowing centre of Holland. Visit this region in the spring – an ocean of blossom stretches as far as the eye can see.

Gelderland und Overijssel

Das sog. 'Grüne Herz' der Niederlande besteht aus Gelderland, Overijssel und Utrecht.

Die drei Provinzen stehen bei den Holländern in hohem Ansehen und sind wegen ihrer bemerkenswerten Vielgestaltigkeit bekannt. Die flachen Polder am IJsselmeer (der früheren Zuiderzee) machen widerstrebend Zugeständnisse an die Bäume, die die Grenzlinie des Nationalparks 'De Hoge Veluwe', nördlich von Arnheim, bilden.

Kennzeichnend für den Westen Overijssels sind die reichlich vorhandenen Wasserläufe und Kanäle. Das entzückende Wasserdorf Giethoorn wird als das 'Venedig des Nordens' bezeichnet, da sowohl die Einheimischen als auch die Touristen in hell bemalten Booten herumfahren. Ostoverijssel hat eine leicht wellenförmige Landschaft und stellenweise schattenreiche Wälder. Overijssel ist ein wichtiges Industriegebiet in den Niederlanden, wo sich traditionelle Textilstädte, wie Almelo und Enschede, befinden.

Die grösste Anziehungskraft übt in Gelderland der gewaltige Naturschutzpark 'Hoge Veluwe' aus, wo man die fünfzig Quadratkilometer Wald und Heideland am besten auf dem Fahrrad erkundet. Im Reichsmuseum Kröller-Müller, mitten im Park, sind viele hervorragende Gemälde Vincent van Goghs ausgestellt und im Park selbst stehen bekannte Skulpturen. Südlich des Waldgebiets befindet sich Arnheim, die Hauptstadt der Provinz Gelderland. Hier, in dem eindrucksvollen Freiluftmuseum, ist die Atmosphäre vergangener Zeiten mit ringsherum achtzig traditionellen Gebäuden, wiedererschaffen worden.

La Gueldre et Overyssel

La Gueldre comme Overyssel et Utrecht forment le cœur vert du pays. Les néerlandais aiment beaucoup cette région, et les deux provinces sont connues pour leurs contrates; les polders plats du Lac de l'IJssel (qui était auparavant le Zuiderzee) faisant place aux arbres qui forment le cœur du Parc national de la Haute Veluwe, au nord d'Arnhem.

L'ouest de la province Overyssel est caractérisé par de larges voies navigables et des canaux – le beau village de Giethoorn est appelé la Venise du Nord, parce que les habitants comme les touristes se déplacent dans des petits bateaux aux couleurs vives. L'est de la province offre un paysage légèrement ondulé, parsemé de groupes d'arbres. Cette région est également le centre de fabrication de textiles, dont les villes comme Almelo et Enschede sont parmi les plus connues.

L'attraction la plus importante de la Gueldre est sans doute le Parc national de la Haute Veluwe, où les cinquante kilomètres carrés de forêts et de bruyères sont encore les mieux accessibles aux bicyclettes. Le Musée Kröller-Müller, au centre du parc, expose des tableaux de Van Gogh et à l'extérieur des sculptures. Au sud de la forêt se trouve la ville d'Arnhem, la capitale de la province de Gueldre (Gelderland). Ici, le Musée néerlandais de plein air (Nederlands Openluchtmuseum) a réussi à recréer une atmophère d'antan grâce à la reconstitution de quatre vingt fermes, moulins et maisons traditionnelles. Vers l'est se trouve la région rurale de l'Achterhoek, et plus vers le sud-ouest le centre d'arboriculture fruitière de la Hollande. Quand vous vous y rendrez pendant les journées printanières, vous serez frappé par la beauté de cet océan de fleurs qui s'étend à perte de vue.

99 De punters vormen nog altijd het enige vervoermiddel van Giethoorn, dat vanwege de talrijke dorpsgrachten ook wel (overigens net als Amsterdam) het Venetië van het noorden wordt genoemd.
99 The punts are still the only method of transport in Giethoorn, which, like Amsterdam, is sometimes called the Venice of the North, because of the many canals in the village.
99 Diese Kähne, die sog. 'Punters', stellen immer noch das einzige Transportmittel in Giethoorn dar, das man wegen seiner zahlreichen Dorfgrachten (ebenso wie Amsterdam) das Venedig des Nordens nennt.
99 Aujourd'hui encore, ces barges sont l'unique moyen de transport de Giethoorn, surnommée aussi à cause de ses nombreux canaux – tout comme Amsterdam – le Venise du nord.

100-101 De vroegere Hanzestad Deventer rijst op aan de noordelijke IJsseloever.
100-101 The former Hanseatic town of Deventer stands on the north bank of the River IJssel.
100-101 Die ehemalige Hansestadt Deventer erhebt sich am nördlichen IJsselufer.
100-101 Deventer, ancienne ville hanséatique, s'élève sur la rive septentrionale de l'IJssel.

102 Het schilderwerk aan huizen en hekken wordt in Staphorst vaak nog in de authentieke, vrolijke kleuren uitgevoerd.
102 This decorative house at Staphorst is traditionally Dutch.
102 Dieses dekorative Haus in Staphorst hat die traditionelle holländische Bauart.
102 Cette maison décorative à Staphorst révèle une tradition néerlandaise.

103 Het stadhuis van Enschede werd gebouwd van 1930 tot 1933 naar een ontwerp van ir. G. Friedhoff.
103 The Town Hall of Enschede was built between 1930 and 1933 following a design of G. Friedhoff.
103 Das Rathaus in Enschede wurde zwischen 1930 und 1933 nach Entwürfen von G. Friedhoff errichtet.
103 La Mairie de Enschede fut bâtie entre 1930 et 1933 d'après les plans de l'architecte G. Friedhoff.

104 Het silhouet van Zutphen vormt een
fraai decor voor de drukke scheepvaart op
de IJssel.
104 The outline of Zutphen forms a
beautiful background for the busy shipping
on the River IJssel.
104 Der Schattenriss Zupthens bildet eine
reizvolle Kulisse für die belebte Schiffahrt
auf der IJssel.
104 La silhouette charmante de Zutphen
en toile de fond du trafic maritime intense
sur le IJssel.

105 Het grondig gerestaureerde paleis Het Loo in Apeldoorn, in 1684 door stadhouder Willem II gesticht, is tegenwoordig een nationaal museum.
105 The Palace Het Loo at Apeldoorn. Historically a popular royal residence, this now houses a National Museum.
105 Das Schloss Het Loo in Apeldoorn, war einst der Lieblingsaufenthalt so mancher Könige und Königinnen. Heute ist es ein Nationales Museum.
105 Le Palais Het Loo à Apeldoorn. Autrefois la résidence royale la plus populaire. A présent ce palais abrite un musée national.

106-107 Een oase van rust bij een
wipmolen in het Overijsselse landschap.
106-107 An oasis of peace by a smock
windmill in the landscape of Overijssel.
106-107 Eine Insel der Ruhe bei einer
Bockwindmühle in der Landschaft
Overijssels.
106-107 Endroit paisible près d'un moulin
araignée dans le paysage d'Overyssel.

108 De aan de zee onttrokken grond van
de Flevopolder wordt bouwrijp gemaakt
voor een geheel nieuwe stad: Almere.
108 The land of the Flevopolder was
wrested from the sea, and is being
prepared for a completely new town to be
built: Almere.
108 Der aus dem Meer gewonnene Boden
des Flevopolders wird für den Bau einer
völlig neuen Stadt, Almere, erschlossen.
108 Les terres gagnées sur la mer de
Flevopolder sont préparées pour la
construction d'une toute nouvelle ville:
Almere.

109 Vermaard is het bloeiende koolzaad in het voorjaar, dat het nog jonge land met een vlammend geel tooit.
109 This polder, reclaimed from the Zuiderzee some while ago, is now sprinkled with carpets of yellow flowers.
109 Dieser Polder, der schon vor einiger Zeit der Zuiderzee abgewonnen wurde, ist jetzt ein sprühender Teppich gelber Blumen.
109 Ce polder du Zuiderzee est recouvert de fleurs jaunes.

110-111 De Gelderse Veluwe bestaat voor een groot deel uit sprookjesachtige bossen waarin urenlange dwaaltochten mogelijk zijn.
110-111 The Veluwe in Gelderland mainly consists of fairytale woods where it is possible to wander for hours.
110-111 Die Veluwe in Gelderland besteht grossenteils aus märchenhaften Wäldern, in denen man stundenlang wandern kann.
110-111 Le Veluwe dans la Gueldre est recouvert en grande partie de forêts féeriques où l'on peut se promener pendant des heures.

112-113 De machtige torens van Kampen rijzen hoog op aan de oever van de IJssel.
112-113 The towering spires of Kampen, sedately rising out of the River IJssel.
112-113 Die hohen Turmspitzen von Kampen steigen sozusagen aus der IJssel auf.
112-113 Les flèches dominantes de Kampen, s'élevant sobrement au-dessus de l'IJssel.

Het Noorden

De drie noordelijkste provincies hebben ieder hun eigen charme, maar wat ze gemeen hebben is de landelijke rust die er nog in en rond de plaatsen heerst. Tussen de soms maar enkele kilometers van elkaar verwijderde dromerige dorpjes liggen de vruchtbare akkers en sappige weilanden, doorsneden door sloten, vaarten en kanalen, en ongerepte stukjes natuur, variërend van door riet ornzoomde meren in Friesland tot heidevelden in Drenthe.

Friesland is altijd onze onafhankelijkste provincie geweest, met een eigen taal en een eigen culturele identiteit. De toeristen kennen het als watersportcentrum bij uitstek, maar het is voor alles het land van het beroemde Friese stamboekvee en de statige stinsen.

Het aan Duitsland grenzende Groningen is de meest agrarische provincie van Nederland. Al vroeg besefte men hier het voordeel van grootschaligheid, wat nog steeds zichtbaar is aan de soms werkelijk kolossale boerenplaatsen in het Westerkwartier en op het Hogeland. Het kloppend hart van de provincie is de gelijknamige hoofdstad met zijn universiteit en levendig centrum.

Drenthe is door zijn natuurlijke ligging en gesteldheid – zand omringd door veen – zeer lang een geïsoleerd gebied geweest. Hierdoor bezit de natuur er nog altijd een ongereptheid die jaarlijks vele duizenden vakantiegangers lokt. Honderden kilometers fietspad maakt het hen mogelijk op ontspannen wijze te genieten van een landschap met akkers, heidevelden, zandverstuivingen, bossen, hakhout, veengebieden, hunebedden en pittoreske dorpen.

The North

The peaceful provinces of Friesland, Groningen and Drenthe are some of the most untouched areas of Holland. Cycle out of any of the dreamy villages and you are immediately surrounded by stretches of misty fields, interrupted only by canals and the occasional clog-footed farmer. Friesland, with its provincial capital Leeuwarden, has always been fiercely independent and the Frisians are proud of their distinctive language, literature and cultural identity. As well as being an important watersports centre, Friesland is famous for its dairy products; and the farmhouses with steeply sloping roofs are surrounded by peacefully grazing cattle.

Groningen, Holland's northernmost province, faces the North Sea and borders Germany in the east. Once again, it is farming country, and local customs, such as the tradition of using richly tapestried rugs as table-cloths, are very much alive. Groningen province is dominated by the cosmopolitan university city of the same name. This provides a lively centre for all the surrounding farms and villages, many of which are built on artificial mounds ('wierden'), as protection against flooding which used to take place.

Once a huge swamp, people are drawn to Drenthe to see the impressive 'hunebedden'; enormous stone boulders, excavated by prehistoric man, to serve as tomb monuments. Some two hundred miles of cycle track wends its way through flat green fields and moors – one of the most peaceful and unchanged areas in the whole of Holland.

Der Norden

Die friedlichen Provinzen Friesland, Groningen und Drenthe sind einige der unberührtesten Gebiete der Niederlande. Wenn man irgendeines der träumerischen Dörfer auf dem Fahrrad verlässt, ist man unmittelbar von nebligen Ackerflächen umgeben, die nur von Kanälen unterbrochen werden. Gelegentlich kann man auch einem Bauer auf Holzschuhen begegnen. Friesland, mit der Provinzhauptstadt Leeuwarden, ist schon immer leidenschaftlich unabhängig gewesen und die Friesen sind stolz auf ihre charakteristische Sprache, Literatur und kulturelle Identität. Die Provinz Friesland ist nicht nur ein wichtiges Wassersportzentrum, sondern sie ist auch für ihre Milchprodukte berühmt. Rund um die Bauernhäuser mit ihren steil abfallenden Dächern sieht man das friedlich grasende Vieh.

Groningen, die nördlichste Provinz der Niederlande, liegt der Nordsee gegenüber und grenzt im Osten an die Bundesrepublik Deutschland. Auch in dieser Provinz wird Landwirtschaft betrieben und die lokalen Bräuche, wie z.B. die Tradition, reichlich mit Gobelinstickerei verzierte Teppiche als Tischdecke zu benutzen, sind noch immer im Schwange. Die Provinz Groningen wird von der kosmopolitischen Universitätsstadt gleichen Namens dominiert.

In Drenthe, früher eine riesige Moorlandschaft, besuchen die Touristen heutzutage die Hünengräber (hunebedden). Diese riesigen enorm grosse Steinblöcke wurden von prähistorischen Menschen ausgegraben, um als Grabmal zu dienen. Etwa zweihundert Kilometer des Radwegs führen durch flache, grüne Felder und Moore – eine der friedlichsten und unberührtesten Landschaften in ganz Holland.

Le Nord

Les provinces de la Frise, du Groningue et de la Drenthe sont les régions les plus naturelles des Pays Bas. Si vous prenez votre vélo et sortez de n'importe lequel de ces villages rêveurs vous vous trouverez au milieu de champs brumeux, entrecoupés de canaux. Aussi vous aurez l'occasion de rencontrer un fermier, portant des sabots. La Frise, dont la capitale régionale est la ville de Leeuwarden, a toujours été indépendante et les Frisons sont fiers de leur langue, le Frison, de leur littérature et de leur identité culturelle. La province de la Frise connue pour ses produits laitiers est également un centre de sports nautiques. Aussi on y voit des fermes avec des toits en pente, entourées par des vaches pâturant paisiblement.

Le Groningue, la province la plus au nord des Pays Bas, est limitée par la mer du Nord et à l'est par l'Allemagne. Les activités professionnelles consistent pour la plus grande partie en l'agriculture. Aussi, c'est un pays de traditions; on y utilise jusqu'à présent les tapisseries traditionnelles comme nappes de table. La province de Groningue est également connue pour son université, qui porte le même nom. De par cette présence, le centre de la ville offre une grande diversité d'activités aux fermes et villages aux alentours. Plusieurs fermes sont construites sur des buttes artificielles (wierden), comme protection contre les inondations, dont on souffrait dans le passé.

La Drenthe, à l'époque une immense région marécageuse, à présent les 'Hunebedden' constituent une attraction touristique de premier ordre; ce sont des gros blocs de pierre qui servaient à enterrer les morts à l'ère préhistorique. Des centaines de kilomètres de pistes cyclables champs verts, landes et bruyères – la région la moins altérée et la plus paisible des Pays Bas.

1.5 De Friese Elfstedentocht is een nationaal evenement met vele duizenden deelnemers.
115 The 'Elfstedentocht' marathon (skating on frozen waterways) is a popular event. Here, the long chain of participants stretches as far as the eye can see.
115 Der Marathonlauf auf Schlittschuhen, die sog. 'Elfstedentocht', ist ein populäres, sportliches Ereignis. Hier sieht man eine unendliche Kette von Teilnehmern, soweit das Auge reicht.
115 Le circuit des onze villes (le patinage sur des voies navigables gelées) est un événement populair. Ici, la file de participants s'étend à perte de vue.

116 Onder het barse oog van de Oldehove in Leeuwarden zetten toekomstige schaatskampioenen hun eerste schreden op het ijs.
116 Under the stern eye of the Oldehove in Leeuwarden, prospective skating champions take to the ice for the first time.
116 Unter dem strengen Auge der Oldehove in Leeuwarden tun künftige Eislaufmeister die ersten Schritte auf dem Eis.
116 Sous le regard froid de la Vieille Ferme à Leeuwarden, ces futurs champions de patinage font leurs premiers pas sur le glace.

117 Het 'fierljeppen' of
polsstok-vèrspringen is in Friesland
's zomers minstens even populair als
's winters het schaatsen.
117 Another popular watersport in this part
of the country is Fierljeppen or pole
vaulting.
117 Ein anderer volkstümlicher Sport in
diesem Teil des Landes ist das
'Fierljeppen' bzw. das Stabhochspringen.
117 Un autre sport nautique dans cette
partie du pays est le 'Fierljeppen' ou
sauter à la perche.

118-119 Het 'Skûtsjesilen' – het hardzeilen
met voormalige beurt- en vrachtschepen –
is een jaarlijks gebeuren op de Friese
meren.
118-119 The billowing sails of various craft
dominate this Frisian lake.
118-119 Die bauschigen Segel
verschiedener Schiffe (der sog. 'Skutsjes')
dominieren hier auf diesem See in
Friesland.
118-119 Régates de 'skûtsjes' sur ce lac
Frison.

120 Een van de fraaiste bouwwerken van
Leeuwarden is het in de 18de eeuw tot
koninklijk onderkomen verbouwde
Princessehof.
120 One of the most beautiful buildings in
Leeuwarden is the Princessehof, which
was turned into a royal residence in the
18th century.
120 Eines der schönsten Bauten
Leeuwardens ist der im 18. Jahrhundert
als königliche Residenz umgestaltete
Princessehof.
120 L'un des monuments les plus élégants
de Leeuwarden est le Princessehof
aménagé au XVIIIième siècle comme
résidence royale.

121 Zicht op de Martinitoren in het
gezellige centrum van de universiteitsstad
Groningen.
121 A view of the Martini Tower in the
attractive centre of the university city of
Groningen.
121 Blick auf den Martiniturm im
gemütlichen Zentrum der Universitätsstadt
Groningen.
121 Vue sur la Tour Martini, dans le centre
animé de la ville universitaire de
Groningue.

122 De 13de-eeuwse kerk van het
Groningse Uitwierde bezit een forse toren
uit de 15de eeuw.
122 The pretty church at Uitwierde, in the
province of Groningen.
122 Eine entzückende Kirche in Uitwierde,
in der Provinz Groningen.
122 Une église à Uitwierde dans la
province de Groningue.

123 Als bescherming tegen overstromingen werden in Friesland en Groningen huizen, kerken en soms gehele dorpen op terpen (Friesland) of wierden (Groningen) gebouwd.
123 Houses, churches and sometimes entire villages are built on raised mounds, in Holland's northernmost provinces.
123 In den nördlichsten Provinzen der Niederlande sind Häuser, Kirchen und zuweilen ganze Dörfer auf Wurten gebaut.
123 Dans les provinces les plus au nord du pays, les maisons, les églises et parfois des villages entiers sont construits sur des tertres artificiels.

124-125 Sfeerrijk silhouet van het dorp Hollum op Ameland. Het Waddeneiland – vroeger welvarend door de walvisvangst – is tegenwoordig een geliefd oord voor badgasten.
124-125 The outline of the village of Hollum on the island of Ameland has a lot of character. This island in the Waddenzee was once a prosperous whaling centre; nowadays it is a favorite seaside resort.
124-125 Die stimmungsvolle Kulisse des Dorfes Hollum auf Ameland. Diese Watteninsel – früher blühend durch den Walfischfang – ist heute ein beliebter Badeort.
124-125 Silhouette enchanteresse du village de Hollum, à Ameland. Cette île de l'archipel frison – prospère dans le temps grâce à la pêche à la baleine – est aujourd'hui fort appréciée des baigneurs.

126-127 Zonsondergang boven Schiermonnikoog – een van de vier Friese waddeneilanden, die alle rijk zijn aan schitterend natuurschoon.
126-127 Sunset over the Wadden island of Schiermonnikoog – an area of outstanding natural beauty.
126-127 Sonnenuntergang auf der Watteninsel Schiermonnikoog – ein Gebiet von aussergewöhnlicher natürlicher Schönheit.
126-127 Coucher de soleil à Schiermonnikoog, l'une des îles des Wadden – une région d'une beauté extraordinaire.